読んで覚える

コードの♪カラクリ♪

田熊 健・編著

自由現代社

JN254980

コードがわかれば
音楽は楽しさ 100 倍！

　音楽を始めてしばらくすると、どんな楽器をやっていてもたいてい出会うのがコードです。お手元に何か楽譜があったらちょっと見てみてください。五線譜の上の部分になにやらアルファベットや数字などが書かれていませんか？歌本などの場合、歌詞の上にアルファベットや数字などが書かれていませんか？それがコードの名前、コードネームです。

　ギター、ウクレレなどは始めればすぐにコードを覚えることになります。キーボードなどでもポピュラー音楽を演奏する場合はコードに出会うでしょう。打楽器の場合、直接コードを演奏することは稀だと思いますが、ほとんどの楽器、仮に単音の演奏しかできないものであっても、音楽をやるにあたってコードというものはついてまわります。歌本などを見ると、歌詞の上にコードネームだけが書いてあったりします。楽譜がなくてもコードネームは書いてあるのです。

　コードネームというのは、音楽を始めたばかりの人にはもちろん、長年クラシックでピアノとかバイオリンを勉強していた、というような人にとってもとっつきにくいものです。意外かもしれませんが、クラシックではコードネームというような発想が出てこないため、クラシックピアノをかなり弾きこなせるような人でもコードネームが出てくるとサッパリ…という人がいたりするぐらいです。

　今一度お手近にある楽譜を見てみてください。五線の上にあるコードネーム、読めないものはありませんか？「F」は多分「エフ」だと予想が

つきますが、「Gm7」だとどうでしょうか。「B△7」などという表記も見かけることがあります。「ビーサンカクナナ」でしょうか。その意味するところはもちろんのこと、読み方さえもナゾです。

コードネームの不可解さに負けてしまい、「コードはわからない」と諦めてしまう人もたくさんいます。ですがコードのことが少しわかるようになると、一気に音楽の世界が広がります。もちろん、まったくコードのことがわからなくてもそれなりに楽しむことはできますが、これが少しでもわかれば楽しさ100倍といった感じなのです。

そこでこの本では、コードネームを見てそれがどんなコードかわかる、どんな響きがするのかわかる、というところを目指してみたいと思います。もちろんややこしい話はナシです。コードネームの読み方からそれぞれの意味する内容、さらにそのコードはどんな響きを持っているのか、というようなお話もしてみたいと思います。

本書の終わりのほうには「実践チャレンジ（P.84～）」として有名な曲の楽譜を掲載しました。一通り読み終えたあとに腕試しのような感じで読んでみてください。書いてあるコードネームはもう遠い世界のものではなくなっていると思いますよ。

また、本書は楽譜の苦手な方にも楽しんでいただけるように作りました。楽譜はごく限られたものが少しだけしか出てきませんし、読めなくてもコードのことは勉強できるようになっています。そのため、「楽譜についても勉強してみたい！」という方はぜひ本書の姉妹本である拙著『読んで覚える楽譜のカラクリ』（自由現代社刊）も合わせて読んでみてください。

さぁ、私と一緒にコードの海原へ漕ぎ出しましょう。

Contents

第5章　知ってると便利！コードのいろいろ

＜＜本書の進め方＞＞

本書は、「第1章 コードってなんだ？」から「第5章 知ってると便利！コードのいろいろ」まで、順に読み進めてもらうことで、コードの知識をゼロから身につけられるように構成しています。「このコードの読み方がわからない」など、具体的に知りたい内容がある方は、各章の扉ページ『ココが知りたい！』を参照の上、該当ページにて確認して下さい。

第1章

コードってなんだ？

　さぁ、これからコードのカラクリを紐解いてみるわけですが、そもそもコードっていうのはいったいどういうものなのでしょうか。まずは次の楽譜を見てみてください。

きらきら星

訳詞：武鹿悦子／フランス民謡

　これは皆さんもおそらくご存知の「きらきら星」の楽譜です。メロディが音符で書いてあり、下には歌詞が書いてありますね。市販の楽譜でもよく見かけるタイプの楽譜です。五線の上に注目してください。なにやらアルファベットや数字などが書いてありますね。これが**コードネーム**、すなわちコードの名前なのです。

　　皆さんも市販の楽譜などをお持ちでしたら、ぜひ覗いてみてください。どこかにコードネームらしきものたちが書かれていませんか？　クラシックの楽譜にはほとんど出てきませんが、それ以外のジャンルの音楽では、かなり身近なものとして登場していると思います。

　　ではいよいよ、コードたちのヒミツに迫っていきましょう。

和音…和風な音？

　　まず思い浮かぶ疑問は、「コードっていうのはいったい何か」というものです。

　　よくある説明は、「コードというのは和音のことである」というものです。では"和音"というのは一体どういうものなのでしょうか。"和風な音"ではもちろんありません。和音というのは簡単に言うと**複数の音が同時に鳴っている状態**のことです。

　　これをもう少し掘り下げてみましょう。

　　例えば絵の具を混ぜることを想像してみてください。赤と黄色を混ぜるとオレンジ色になります。赤と青なら紫色、黄色と青なら緑色になりますね。

　　同じように音を混ぜてみるとどうなるでしょうか。お手近にいくつか音を同時に鳴らせる楽器があったらやってみてください。適当な１つの音と、別の音を一緒に鳴らしてみます。するとどうなりますか？

9

例えばドとミを一緒に鳴らしてみます。すると結果は中間のレになった、というようなことはなく、ドとミが同時に鳴って聞こえますね。これは重ねる音が増えても変わりません。手当たり次第にたくさん鳴らしてみても、それらが溶けて1つの音になったりはせず、たくさんの高さの音が同時に鳴っている、という状態になります。

　慣れてくると、その同時に鳴っている音を分解して聴くこともできるようになり、何と何の音が同時に鳴っているかわかるようになります。これは音と音が溶けて融合したりしないから可能なのです。

　そしてこの、2つ以上の音が同時に鳴っている状態を**和音**と言うわけです。それに対して1つしか音が鳴っていない状態は**単音**と言います。

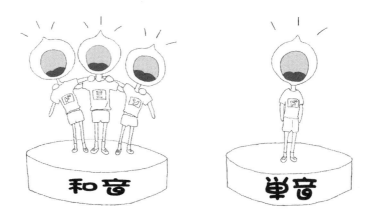

コードネームはハーモニーの名前

　違う高さの音を2種類以上同時に鳴らすと、そこにはある種のハーモニーが生まれます。組み合わせによって心地よい響き、つぶれたような響き、安定感のある響き、不安な響きなど、さまざまな響きを作り出すことができます。メロディだけが鳴っている曲とか、打楽器だけで演奏されている曲などを例外として、ほとんどの音楽にはこのハーモニーというものがあります。そしてそのハーモニーを分類して、分かりやすいように名前をつけたものがコードネームだと思ってください。

　先ほど出てきた「きらきら星」の楽譜に書いてあったC、Em7、Fなどはすべて、ハーモニーの種類を表している名前だったのです。

　つまりコードネームがわかるようになると、例えば"F"と書いてあるだけで、その部分ではどういう音が同時に鳴ってハーモニーを作り出しているのか、ということがわかるようになるわけです。面白そうでしょう？

　実際、筆者もチラシの裏などに「C→C△7→F→Fm〜〜」などとマジックで殴り書きしたような、ほとんどゴミみたいなメモをバンドメンバーに渡し、その場で音を出して演奏してみる、などということをした経験があります。楽譜など何1つなくても、コードネームがあって「リズムはこういうのでいこう」などという一言を添えればいきなり演奏できてしまうのです。

　なんだか楽しそうな気配が満載ですね。ではいよいよ、次のページからこのコードたちのカラクリをほぐしていきましょう！

　コードネームの正体を知るためには、まずドレミのことを少し知らなければなりません。なぜなら、コードネームの最初にドーンと大文字で書いてあるアルファベットは、実はドレミの英語の名前だからなのです。下の図を見てください。

　これはピアノの鍵盤です。よく見ると同じパターンが繰り返し並んでいることがわかります。そのパターンの１つだけを取り出してみましょう。

　皆さんご存知のドレミファソラシドです。それが鍵盤楽器だとこのように並んでいて、あとはこのドレミ〜が繰り返し並んでいるわけです。あるドと一回り上のドは高さが違いますが同じドです。このドからドまでの長さを**オクターブ**という単位で表します。

　ドから次のドまで、ミから次のミまで、シから次のシまで、などはすべて１オクターブという長さです。

　この図のように１オクターブのさらに１オクターブ上の距離は、２オクターブということになります。以下、３オクターブ、４オクターブなど同様に数えるわけです。世の中には７オクターブの音域を歌える歌手というのがいますが、それはピアノの端から端までとほぼ同じ音域です。いかにすごいか、ということがわかってきますね。

　コードネームを見たことがある皆さんはおわかりかと思います
が、コードネームというのはたいていアルファベットです。と
きどき数字も入りますが**アルファベットが入らないことはありま
せん**。

　実はあのコードネームというのは、英語の音名を元にして作
られているのです。そこでまず、ドレミの英語音名を覚えまし
ょう。「英語？ムリだぁ」などと思わないでくださいね。英語と
いったってアルファベット1文字ずつです。

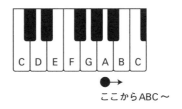

ここからABC～

　このようになります。ドレミファソラシのラの音から ABC ～
を始めれば良いわけです。ちなみに日本音名だとハニホヘトイ
ロとなり、やはりラの音からイロハ～と始まるわけですね。

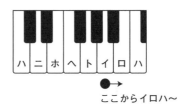

ここからイロハ～

※コードネームを考える上では、日本音名はあまり必要ありません。

14

黒い鍵盤の音名は？

　ここまでのところで白い鍵盤の音名はわかってきましたね。黒い鍵盤の音名は白い鍵盤の音名を元に、それより半音上とか半音下とかいう具合につけます。…ところで"半音"ってなんでしょうか。

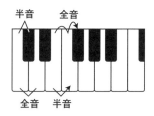

すぐ隣りの音までが半音
2つ先までが全音

　このように、ある鍵盤から隣の鍵盤までが半音という長さです。これは白い鍵盤、黒い鍵盤の区別なく、**すぐ隣りまでが半音、2つ離れると全音（1音）**という距離です。

　元の音の半音上を表すのが「♯」で"**シャープ**"と読みます。逆に元の音の半音下を表すのが「♭」で"**フラット**"と読みます。

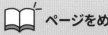 ページをめくる前に・・・

この♯と♭を駆使して、黒い鍵盤の音名がわかるでしょうか？
ちょっと考えてみてください。答えは次のページです。

では、黒い鍵盤の音名を見てみましょう。

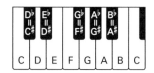

　このようになります。お気づきの方も多いかと思いますが、黒い鍵盤1つに対して、右側の音から♭するのと、左側の音から♯するのと2つの名前がつきます。これは時と場合によって使い分ける感じになりますが、音そのものは同じです。つまりA♯とB♭は同じもの、ということになります。このA♯とB♭のような関係を**異名同音（いめいどうおん）**と言います。名前が異なっても同じ音、という意味ですね。

頭の痛くなるようなコードネームたち

　音の名前がわかってきたところで、さっそくコードネームを集めてみましょう。皆さんは今までにどのようなコードネームと出会いましたか？　例えばギターを始めると「F ができないんだよね」などという会話になったりします。この "F" もコードネームです。他にも適当にいくつか並べてみます。

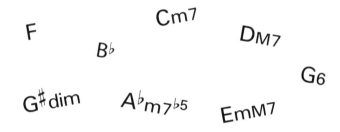

etc…

　もう頭が痛くなってきました。わけがわかりませんね。でもあせらないでください。一見呪文のようなコードネームたちですが、実は名前のつき方には規則性があり、分解することができます。

名前のつき方にはルールがある

　　コードネームは、**コードの軸になる音の名前（C、B♭、G♯など）**
と、音の重なり方の種類を表す言葉（m7、dim、6、M7など）を
つなげて作られています。このような、コードの軸になる音の
ことを**ルート**（根音）と呼びます。これに基づいて、さっき並べ
たコードネームを分解してみましょう。

コードネーム	ルート音	種類を表す言葉
F	F	なし
B♭	B♭	なし
Cm7	C	m7
DM7	D	M7
G♯dim	G♯	dim
A♭m7♭5	A♭	m7♭5
EmM7	E	mM7
G6	G	6

　　このように、コードネームというのはコードのルート（根音）
の名前と、音の重なり方の種類を表す言葉を組み合わせたもの
なのです。

　　ここまでわかったところで、8ページの「きらきら星」の楽譜
をもう一度見てください。何か楽器をお持ちでしたら、ぜひ今
覚えたドレミの英語名を思い出して、楽譜のCならド、Em7な
らミ、という具合に、最初のアルファベット1文字が指す音を鳴
らしながら歌ってみてください。コードネームの書いてある夕
イミングで音を鳴らすのがポイントです。

　　ルート音とメロディしか無くても立派にハーモニーになって
いるのがわかるでしょうか。メロディだけをアカペラで歌うよ
りもハーモニーのイメージがわきませんか？

第2章

いろんな響きを体験！

　いきなりですが、コードの種類っていったいいくつぐらいあるのでしょうか。ここで一般的なものをドドーンと紹介しちゃいましょう。ルートがいろいろだと分かりにくくなってしまうので、ここではルートをド、つまりCの音に固定して考えてみます。

C	Cdim
Cm	$Cm7^{\flat 5}$
$C7$	$CM7^{\sharp 5}$
$Cm7$	$C6$
$CM7$	$Cm6$
$CmM7$	$Csus4$
Caug	

　「うわ、こんなにあるのか！」と思いましたか？　いえいえ、実はまだこれ以外にもあるのです。でも、ここに挙げたものを中心に覚えていけばほとんどのコードに対応できるので、本書ではこの辺を中心に勉強していきましょう。

安定感のある明るい響き

　やはり最初は一番基本的なものから覚えてきましょう。基本的と言えばやはりコードネームがシンプルなもの、つまりAとかD♭など、**アルファベット1文字だけのもの**です。

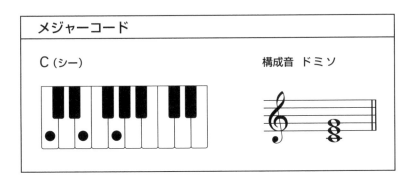

　コードネームはルートの音名のみで、読み方は音名そのままです。ルートがAなら「A（エー）」、ルートがD♭なら「D♭（ディーフラット）」というコードネームになります。

　このようなアルファベット1文字だけのコードを**メジャーコード**と呼びます。

　このメジャーコードを基準として他のコードを考えていくとわかりやすいので、このコードに関しては少々詳しく調べてみましょう。

Cのコードは、C、E、Gの3つの音、つまりド、ミ、ソの3つ
の音でできています。いわゆるドミソのコードがCなのです。

このときの音と音の間の距離が非常に重要です。

このようになります。メジャーコード、すなわちアルファベッ
トの音名のみでできているコードの場合、ルートから次の音ま
での間隔、そこからその次までの間隔というのは常にこの図の
ような関係になります。

例えばA♭のコードであれば次のようになります。

A♭（エーフラット）

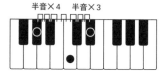

安定感のある暗い響き

ドミソのミを♭にすると**マイナーコード**です。

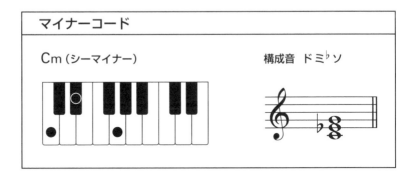

コードネームは**ルートの音名＋小文字のm**で、読み方は音名＋マイナーです。ルートがAなら「Am（エーマイナー）」、ルートがD♭なら「D♭m（ディーフラットマイナー）」というコードネームになります。それぞれの音の間隔はこのようになります。

例えばB♭mのコードであれば次のようになります。

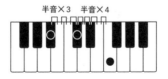

ドミソの上にシ♭を乗せるとセブンスコードです。

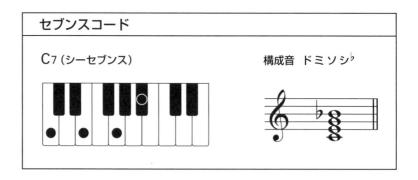

セブンスコード

C7 (シーセブンス)　　　　　　　　　　　構成音　ドミソシ♭

コードネームは**ルートの音名＋数字の7**で、読み方は音名＋セブンスです。ルートがAなら「A7 (エーセブンス)」、ルートがD♭なら「D♭7 (ディーフラットセブンス)」というコードネームになります。それぞれの音の間隔はこのようになります。

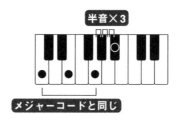

半音×3

メジャーコードと同じ

例えばG7のコードであれば次のようになります。

G7 (ジーセブンス)

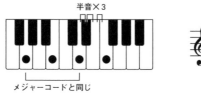

半音×3

メジャーコードと同じ

　このセブンスコードというコードは**半音5つ分上**のメジャーコードかマイナーコードに進みたがる性質があります。

　$G_7 \to C$ か Cm、$E_7 \to A$ か Am、$F_7 \to B^\flat$ か $B^\flat$m、という具合です。それぞれのルート間の距離は次のようになっています。

G → C

E → A

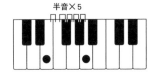

F → B♭

「気をつけ・礼・直れ」のコード

　ここまでに紹介したメジャーコード、マイナーコード、セブンスコードというのはとても基本的なものです。基本的なだけあって、実に身近です。

　小学校ぐらいのときに、「気をつけ→礼→直れ」というような感じでおじぎをするとき、先生がピアノやオルガンなどで、ジャーン、ジャーン、ジャーンと音を鳴らしたことがありませんか？　それをここで再現してみましょう。

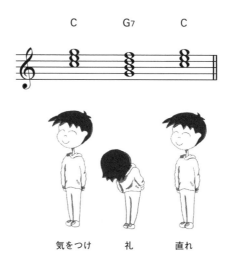

　楽器をお持ちでしたら、ぜひ音を出してみてください。五線譜の読み方がよくわからないという人は、ここまでに勉強したことを復習しつつ、それぞれのコードの構成音を探ってみてください。G7のところでおじぎをすると自然な感じがしませんか？

どんよりとした「気をつけ・礼・直れ」

　せっかくマイナーコードも覚えたので、この「気をつけ→礼→直れ」をマイナーコードバージョンでもやってみましょう。

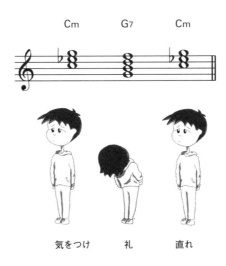

　これも音を出してみて、先ほどのものと比べてみてください。メジャーコードは明るい、マイナーコードは暗い、と簡単に説明してきましたが、実際にこの二つの「気をつけ→礼→直れ」をやってみると、マイナーコードがどのように暗いのかわかりますね。朝一番にこんな礼をしたら、その日は一日どんよりとした気分になってしまいそうです。

マイナーコードにシ♭を乗せると**マイナーセブンスコード**です。

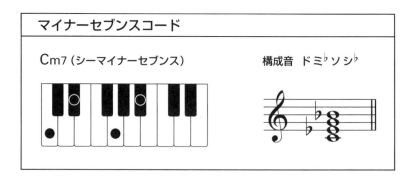

マイナーセブンスコード

Cm7 (シーマイナーセブンス)　　　　　　　構成音　ドミ♭ソシ♭

コードネームは**ルートの音名＋小文字のm＋数字の7**で、読み方は音名＋マイナーセブンスです。ルートがAなら「Am7 (エーマイナーセブンス)」、ルートがD♭なら「D♭7 (ディーフラットマイナーセブンス)」というコードネームになります。それぞれの音の間隔はこのようになります。

半音×3

マイナーコードと同じ

例えばGm7のコードであれば次のようになります。

Gm7 (ジーマイナーセブンス)

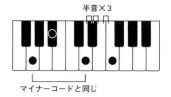

半音×3

マイナーコードと同じ

オシャレでキレイな響き

メジャーコードにシを乗せると**メジャーセブンスコード**です。

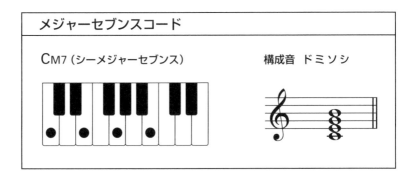

メジャーセブンスコード

CM7（シーメジャーセブンス）　　　　　　　構成音　ドミソシ

　　コードネームは**ルートの音名＋大文字の M ＋数字の7**で、読み方は音名＋メジャーセブンスです。ルートが A なら「AM7（エーメジャーセブンス）」、ルートが D♭なら「D♭7（ディーフラットメジャーセブンス）」というコードネームになります。それぞれの音の間隔はこのようになります。

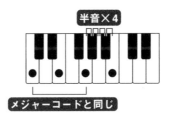

半音×4

メジャーコードと同じ

例えば FM7 のコードであれば次のようになります。

FM7（エフメジャーセブンス）

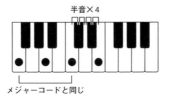

半音×4

メジャーコードと同じ

ここまで、詳しい理屈は抜きにして、けっこう強引にコードを覚えてきました。しかし、例えばセブンスの7はいったい何の7を意味しているのか、というようなことが全然わかりません。そこで、次の章からもう少し掘り下げて、コードのカラクリを探ってみたいと思います。

第3章

度数がわかれば怖いものなし！

　皆さん、音楽の中にも「度」という単位があるのをご存知ですか？　普段、「度」という単位は、温度や角度を表すときに使いますね。水は0度で凍ります。直角は90度ですね。どちらも単位は度です。音楽の中にもこの「度」という単位が出てきますのでご紹介しましょう。

　もう一度ドレミを思い出してください。

　この図で、ドの音を1とし、2、3、4…と順に番号をつけてみます。すると以下のようになりますね。

　まずはオクターブの範囲内、数字の1～7について見ていきましょう。

　おもいっきり簡単に言ってしまうと、この数字が音楽の中の「度」、**度数**と呼ばれるものです。ドから見て3度の音はミ、6度はラ、7度はシ、ということになります。

「なんだ、簡単じゃん」と思われたでしょう？　基本は簡単なのです。ただし、これだけでオシマイというわけにはいきません。なぜなら、このままだと間の黒鍵の存在がうやむやになっているからです。

まず、この7つの数字に関して、次のことを覚えてください。

・4と5には「完全」をつける

・それ以外は「長（チョウ）」をつける

つまりドからファまでは完全4度、ドからラまでは長6度、ドからシは長7度、ということになります。

ドからレ	長2度
ドからミ	長3度
ドからファ	完全4度
ドからソ	完全5度
ドからラ	長6度
ドからシ	長7度

ドから同じ高さのドまでは完全1度、1オクターブ上のドまでは完全8度となりますが、あまり使わない度数なので頑張って覚えなくても大丈夫です。

　　次に、今覚えた度数を元に、まだ度数のわからない黒鍵の音を考えます。

　　また機械的に次のことを覚えてください。

・完全○度が半音減ると「減（ゲン）」、半音増えると「増（ゾウ）」をつける

・長○度が半音減ると「短（タン）」をつける

・長○度が半音増えると「増（ゾウ）」、短○度が半音減ると「減（ゲン）」をつける

　　なにやら難しくなってきました。でも大丈夫です。1つずつカラクリを紐解いていきましょう。

　　まず完全○度を半音ずつ増減してみましょう。

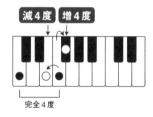

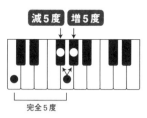

　　このようになります。CからF♯までは増4度、CからG♭まで
は減5度です。F♯とG♭は異名同音で同じものですから、**増4度
と減5度は同じ長さ**、ということになります。

　　次は長○度を半音減らしてみます。

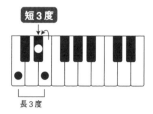

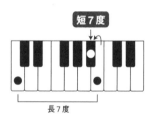

最後に長〇度を半音増やし、短〇度を半音減らしてみます。

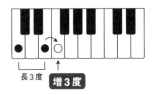

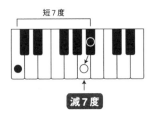

　このあたりはあまり出てこない度数ですが、長が半音伸びると増、短が半音減ると減、という点だけ覚えておいてくださいね。

　ここまでのことを踏まえてドレミの度数をまとめてみます。

	Cからの度数
C	完全1度
C♯／D♭	増1度／短2度
D	長2度
D♯／E♭	増2度／短3度
E	長3度
F	完全4度
F♯／G♭	増4度／減5度
G	完全5度
G♯／A♭	増5度／短6度
A	長6度
A♯／B♭	増6度／短7度
B	長7度

　もちろん異名同音によって他にも度数が考えられます（ファが増3度である、など）が、ここでは図のものだけ覚えておけば応用できるので省略してかまいません。

　これで、ドを基準にしたときの、各音までの度数がわかりましたね。あとはこの位置関係をそのまま並行移動すれば、基準の音が何であっても度数がわかる、ということになります。

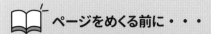

ページをめくる前に・・・

では、ファの音を基準にして、長3度、完全5度、短7度の音はそれぞれ何の音になるでしょうか？　基準がドの場合から平行移動する、という点に注意して、実際に考えてみてください。答えは次のページからです。

　ファの音を基準にしたらどのようになるのか、実際にやってみ
ましょう。

　まず、ドの音を基準にした基本のカタチを思い出します。

	Cからの度数
C	完全1度
C♯／D♭	増1度／短2度
D	長2度
D♯／E♭	増2度／短3度
E	長3度
F	完全4度
F♯／G♭	増4度／減5度
G	完全5度
G♯／A♭	増5度／短6度
A	長6度
A♯／B♭	増6度／短7度
B	長7度

　これをそのまま基準がファになるように移動すれば良いわけで
す。ドから数えてファは半音で5つ目です。黒白問わず、となり
の鍵盤までが半音でしたね。忘れてしまった方は15ページへ戻
ってみてくださいね。

　位置関係をそのまま平行移動するので、最初の図にあった度
数もすべて半音5つ分右へ移動します。

　すると次の図のようになります。

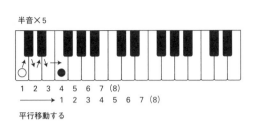

	Fからの度数
F	完全1度
F♯／G♭	増1度／短2度
G	長2度
G♯／A♭	増2度／短3度
A	長3度
A♯／B♭	完全4度
B	増4度 ※
C	完全5度
C♯／D♭	増5度／短6度
D	長6度
D♯／E♭	増6度／短7度
E	長7度

半音×5

1 2 3 4 5 6 7 (8)

1 2 3 4 5 6 7 (8)

平行移動する

　これでめでたく、ファを基準にしたときの度数関係がわかりま
した。

　ファを基準にして長3度はラ、完全5度はド、短7度はミ♭と
いうことになりますね。

※ FからのBの度数は、C♭で表記されるときには減5度ということになり
　ます。本書ではそれほど厳密に考えないので増4度という解釈で構いま
　せん。

短7度の簡単な探し方

　　図全体を平行移動するのはわかりやすいですが、頭の中だけでやるのは大変です。そこでもう少し簡単にやりましょう。

　　例えばファから短7度上の音を考えてみます。

　　まずドを基準にしたときのことを思い浮かべると、短7度という音は7度なので7番目、シの音になります。ドレミの♯も♭も無い音は、4度と5度を除いて長がつくはずですので、普通のシの音なら長7度ということになります。すると短7度ならばシ♭ということになりますね。

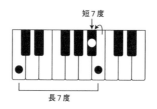

　　このシ♭という音は、基準のドの1オクターブ上のドから見ると、半音2つ分、つまり全音下がったところにある音です。

　　この位置関係をファを基準にして探せばいいので、基準のファの1オクターブ上のファから全音下がったところ、つまりミ♭が短7度の音、ということがわかるのです。

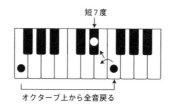

40

メジャーコードを度数で確認してみよう

　　度数の考え方がわかってきたところで、これまでにみた5種類のコードの構成音について、度数の考え方を使って調べてみたいと思います。復習の意味も兼ねて、それぞれのコードを思い出してみてくださいね。

　　まずはメジャーコードです。Cをルート（根音）にしたメジャーコードはド、ミ、ソでした。

　　このようになります。

　　これを度数で考えてみると次のようになります。

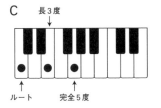

　　よってメジャーコードとは、ルート・長3度・完全5度の3つの音でできたコード、ということになります。

コードの構成音の位置関係も、ルートに合わせて平行移動して考えます。つまりルートが何の音であっても、メジャーコードは常にルート・ルートの長3度上・ルートの完全5度上、という3つの音からできているということになるわけです。

ここまでのことを踏まえて実際の曲を見てみましょう。

大きな古時計

訳詞：保富康午／作曲：Henry Clay Work
© by K. Hotomi & H.C. Work

これは「大きな古時計」の歌い出しの部分ですが、登場するのはC、G、Fという3つのメジャーコードです。Cは前のページでやりましたね。GとFも同様に調べてみると次のようになりますね。

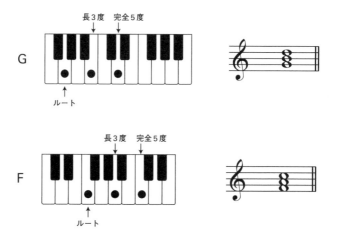

♯や♭が出てくるとわかりにくい…

　♯や♭が苦手、という人にとっておきの方法をご紹介しましょう。例えば、F♯というコードの構成音はどのようになるでしょうか。

　F♯のルートはF♯、すなわちファ♯の音になりますね。ここが1になります。ここでF♯がルートではわかりにくい、という場合はFのコードを考えて、すべての音を半音上げると良いです。

　FのコードはF（ファ）から長3度であるA（ラ）、完全5度のC（ド）でできていますね。F♯はそれを全部半音ずつ上げたコードということになるわけです。

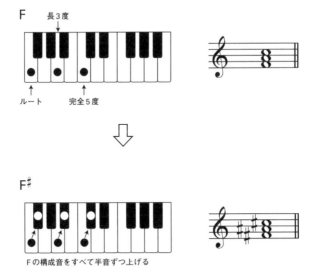

　このように考えると、♯や♭がたくさん出てきても混乱せずにすみますね。これはどんなに複雑なコードになっても使えるワザですので覚えておいて損はありませんよ！

マイナーコードはド、ミ♭、ソでした。先ほどは機械的に覚え
ましたが、度数で考えるとちゃんと意味がわかります。やって
みましょう。

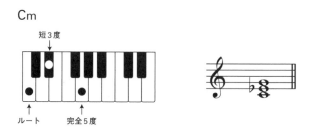

これも1、3、5なのでメジャーコードと似ていますが、3度が
違いますね。メジャーコードは長3度でしたが、マイナーコード
では短3度になっています。ルートと完全5度は同じですね。

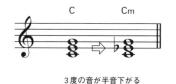

3度の音が半音下がる

よって、**マイナーコードとは、メジャーコードの3度の音を
半音下げたもの**、ということになります。ちなみにメジャーは
長、マイナーは短という意味の言葉で、メジャーコードは日本
語にすると長三和音、マイナーコードは日本語にすると短三和
音となります。

これも実際の曲でやってみましょう。

愛のロマンス

　これは「愛のロマンス」という曲ですが、「禁じられた遊び」という題名でよく知られている曲です。出てくるコードは Am、Dm、E の3つです。Am と Dm は先ほどの Cm を平行移動して探してみてください。E はメジャーコードなので C のコードを平行移動します。わからない人はメジャーコード（41ページ）のところへ戻って確認してみてくださいね。

マイナーコードでも、♯や♭のついたコードネームを恐れることはありません。例えばA♭mの構成音はどうなるでしょうか。実際に考えてみてください。

　もちろんA♭をルートとして、そこから短3度、完全5度と数えても大丈夫です。ですが、私はそれだとややこしいと感じるため、Amから全部半音下げる、という発想でいきたいと思います。

　まずAmを考えます。ルートはA（ラ）の音ですね。そこから短3度を数えます。ドからミ♭までと同じ長さなので図のようになります。

短3度

ドとミ♭の位置関係をそのまま平行移動する

同様に完全5度も探すとE（ミ）の音になりますね。

完全5度

ドとソの位置関係をそのまま平行移動する

　よってAmはA（ラ）、C（ド）、E（ミ）という構成音だということがわかりました。A♭mはこの半音下なのでA♭、C♭、E♭という構成音になります。

ルート　　　　　完全5度

A♭m

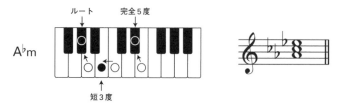

短3度

Amの構成音を全部半音ずつ下げる

セブンスコードを度数で確認してみよう

　もうだいぶ要領がわかってきましたね。同様に考えてみてください。セブンスコードはド、ミ、ソ、シ♭でした。度数はどうなりますか？

　ド、ミ、ソまではメジャーコードと同じで、その上にシ♭が乗っています。

C7

メジャーコードと同じ

　ルートはC（ド）なので、ドからシ♭までの距離を考えます。数え方を思い出してくださいね。

　ドから数えてシは7番目なので7度です。4と5以外は長をつけるので長7度になりますね。普通のシが長7度なので、シ♭はそれより半音短い距離、つまり短7度ということになります。

短7度

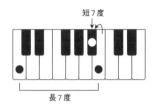

長7度

　よって**セブンスコードは、メジャーコードの上に短7度の音を乗せたもの**、ということになります。

これも実際の曲でやってみましょう。

鉄腕アトム

作詞：谷川俊太郎／作曲：高井達雄
© by S. Tanigawa & T. Takai

ご存知「鉄腕アトム」のテーマ曲です。

ここに出てくるD7のコードはどういう構成音になるでしょうか。

当然ながら、C7を平行移動して考えれば答えがわかります。でもここでは40ページで少し紹介した、上から戻る方法で考えてみましょう。

短7度という距離は長7度より半音短い距離ですが、同時に1オクターブ上より全音短い距離でもあります。

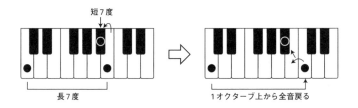

ドから1オクターブ上のドまでの8度のうち7番目ということなので、上から降りてきたほうが早い、という発想です。長7度はルートの1オクターブ上の半音下、短7度はさらに半音下、ということになります。

　するとD7というコードは、Dのコードに、ルートの1オクターブ上から全音下がった音、つまりCの音を乗せたコードということになります。

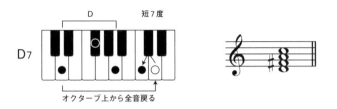

　この考え方は、ちょうど算数の暗算を簡単にやる方法と似ています。

　ある数を5倍するというとき、元の数の半分を10倍すると答えが出ますね。例えば128 × 5を考えるとき、128の半分である64を10倍して640という具合に計算できます。

　それと同じような発想で考えているわけです。ルートから7つ数えるよりも、1オクターブ上から降りてきたほうがわかりやすいからです。

　長7度を考える場合は、ドからシまでの距離を平行移動するよりも、オクターブ上の半音下という具合に考えたほうが断然早いわけです。これだとF♯の長7度上はF、A♭の長7度上はGという具合に、瞬時に見つけることができますね。

　今すぐに理解できなくても大丈夫です。実際のコードに触れながら、この辺りのページに戻ってきて読み返してみてください。何度かやっているうちに頭に入ると思います。

　ここまでくればもう大丈夫でしょう。マイナーセブンスコードだとどうなるでしょうか？

　マイナーセブンスコードはド、ミ♭、ソ、シ♭でした。度数はどうなりますか？

　ド、ミ♭、ソまではマイナーコードと同じで、上に乗っているシ♭はセブンスコードのときと同じ、短7度の音ということになりますね。

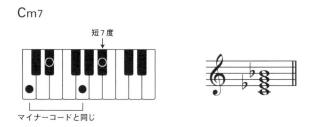

　よって**マイナーセブンスコードは、マイナーコードの上に短7度の音を乗せたもの**、ということになります。これも実際の曲でやってみましょう。

鉄腕アトム（つづき）

作詞：谷川俊太郎／作曲：高井達雄
© by S. Tanigawa & T. Takai

　先ほど出てきた「鉄腕アトム」の楽譜のつづきの部分です。Dm7 というコードが出てきていますね。もう考え方は大丈夫ですね？　ルートが D の場合の構成音を考えてみてください。他にも思い浮かんだ何の音でもかまわないので、それをルートとしたマイナーセブンスコードを探してみましょう。

メジャーセブンスコードを度数で確認してみよう

　これもまったく同様の考え方でわかります。メジャーセブンスコードはド、ミ、ソ、シでした。度数はどうなりますか？

　ド、ミ、ソまではメジャーコードと同じで、その上にシが乗っています。シは♭でない普通のシなので長 7 度になりますね。

CM7

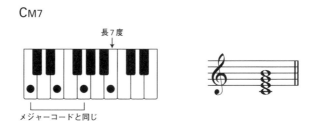

よって**メジャーセブンスコードは、メジャーコードの上に長 7 度の音を乗せたもの**、ということになります。

これも実際の曲でやってみましょう。

ひこうき雲

この曲にはメジャーセブンス以外にもいろいろなコードが出て
きます。復習を兼ねて、おさらいしてみてくださいね。

第 **4** 章

難しそうな名前のコードも簡単攻略！

コードネームのキマリ

　　ここで実にややこしいコードネームの決まりをご紹介しましょう。それはメジャーとかマイナーとかいう表記に関する決まりです。

　　まず、メジャーを大文字のM、マイナーを小文字のmで表記します。Cマイナーセブンスが Cm7、Cメジャーセブンスが CM7 でしたね。

　　そのままだ、という風に見えるかもしれませんが、実はここに少々落とし穴があります。実はマイナーセブンスコードのマイナーと、メジャーセブンスコードのメジャーは意味しているところがまったく違うのです。

　　結論から書いてしまいます。

・元になるコードがメジャーコードの場合、大文字のMは
　省略してルート音名だけを表記する。

・元になるコードがマイナーコードの場合、小文字のmを
　書く。

・上に乗る音が短7度の場合、小文字のmは省略して7の
　みを書く。

・上に乗る音が長7度の場合、大文字のMを書いてそのあ
　とに7を書く

　　さすがは落とし穴です。文章にまとめても意味がサッパリですね。

　そこで実際のコードネームを見て理解していきましょう。

　まずメジャーコードですが、CメジャーなのでCＭとなるはず
ですが、大文字のＭは省略してCのみを書きましたね。マイナ
ーコードの場合、Cmのmは省略せずに表記しました。

メジャーコード

$$C \underset{\substack{\uparrow \\ \text{省略する}}}{(M)}$$

マイナーコード

$$C\underset{\substack{\uparrow \\ \text{省略しない}}}{m}$$

　セブンスコードの場合、CメジャーコードにŒ7度、すなわち
m7が乗りますが、このmは省略してC7と表記しました。

セブンスコード

$$Cメジャーコード＋短7度 \text{(m7)}$$

$$= C\underset{\substack{\uparrow \quad \uparrow}}{M m7} \Rightarrow C7$$

元のコードネームのＭは省略する　　上に乗る7度のmは省略する

55

マイナーセブンスコードはCmコードに短7度、すなわちm7
が乗りますが、m7のほうのmが省略されてCm7となります。

マイナーセブンスコード

Cマイナーコード＋短7度（m7）

= Cmm7 ⇨ Cm7

元のコードネームのmは省略しない　　上に乗る7度のmは省略する

同様にメジャーセブンスコードの場合、Cメジャーコードに長
7度、すなわちM7が乗りますが、メジャーコードのMが省略さ
れてCM7となります。

メジャーセブンスコード

Cメジャーコード＋長7度（M7）

= CMM7 ⇨ CM7

元のコードネームのMは省略する　　上に乗る7度のMは省略しない

つまり、Cm7のmは元のコードがマイナーコードであること
を表すもので、CM7のMは上に乗っている音が長7度であるこ
とを表すものなのです。

コードネームに登場する小文字の m は前のルート音名にかかってそのコードがマイナーコードであることを表し、大文字の M は後ろの数字にかかって、上に乗っている音が長7度の音であることを表しているのです。

元のコードがメジャーコードであることを表す M と、上に乗る音が短7度であることを表す m は省略されます。メジャーコードに短7度が乗ったセブンスコードは両方とも省略されたため、ルート音名のあとに数字の7がすぐ続いているわけです。

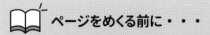 **ページをめくる前に・・・**

このあとに、マイナーコードに長7度が乗ったコードを紹介します。
どんな名前になるかわかりますか？ 答えは次のページからです。

　ここまでのことを踏まえてさらにいろいろなコードについて勉強していきましょう。

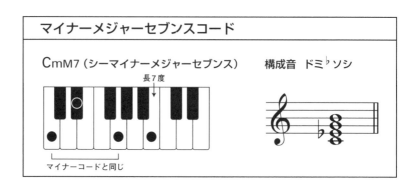

　マイナーメジャーセブンスというコードです。さぁ、ややこしくなってまいりました。マイナーメジャーセブンスとはいったいなんでしょうか。マイナーなのかメジャーなのか、はたまたセブンスなのか、もうサッパリですね。

　でも先ほど覚えた、Ｍとｍの省略に関する法則を思い出してみてください。するとこのややこしいコードの正体が見えてくるはずです。

　まず小文字のｍが書いてある場合、それは元のコードがマイナーであることを表していましたね（54ページ参照）。

　つまりこのコードはマイナーコードが元になっている、ということです。

　次に大文字のＭが出てきますが、これは後ろの７にかかって、上に長７度の音が乗っているということを表していました（54ページ参照）。

　よって**マイナーメジャーセブンスコードとは、マイナーコードの上に長7度の音が乗ったもの**、ということになるわけです。

　楽器がある人はぜひ実際に音を出してみてください。こんなコード実際に使うことあるのかな、と思うような怪しい響きですね。ところが、意外にこのコードはよく登場します。曲集や歌本などを持っている方は、ぜひこのマイナーメジャーセブンスコードが出てくる曲を探してみてください。

　たいていの場合、コードの中の音が半音ずつ動いていくようなコード進行（そういうコード進行を**クリシェ**と言います）などで出てきます。

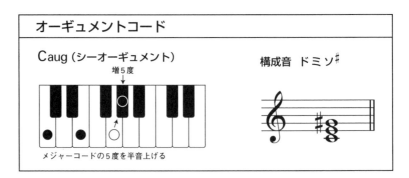

オーギュメントコード

Caug（シーオーギュメント）

増5度

メジャーコードの5度を半音上げる

構成音　ドミソ♯

　オーギュメントというのは度数のところで勉強した「増」を表す言葉です。増5度は英語でオーギュメンテッド・フィフス（augmented 5th）と言います。正しい発音はオーグメントに近いのですが、日本語表記ではオーギュメントとするのが一般的なので、ここでもそれに習うことにしました。

　オーギュメントとは、**メジャーコードの完全5度の音を半音上げて増5度にしたもの**、ということになります。

　楽器があったらぜひ音を出してみてください。サスペンスドラマなどで今まで思っていたのと違う方向を指す手がかりが見つかったときとか、理科の番組で「なぜかな？」というようなときに使われたりするコードですね。

　メジャーコードの5度を半音上げる、と覚えておけばルートがどこになってもすぐに構成音がわかりますね。仮にここではAaugで考えてみましょう。

　まずＡのコードを考え、その５度の音を半音上げれば良いわけです。

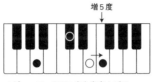

Aaug (エーオーギュメント)

増5度

メジャーコードの５度を半音上げる

　他の任意のルートに関しても構成音を探ってみてくださいね。

サスペンスドラマ的な衝撃を連想する響き

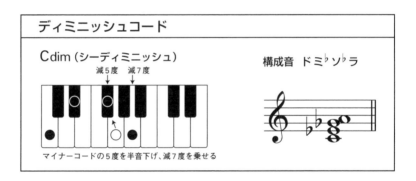

ディミニッシュコード

Cdim (シーディミニッシュ)

減5度　減7度

構成音　ドミ♭ソ♭ラ

マイナーコードの５度を半音下げ、減７度を乗せる

　ディミニッシュというのは度数のところで勉強した「減」を表す言葉です。減５度は英語でディミニッシュド・フィフス (diminished 5th) と言います。

　ディミニッシュコードとは、**マイナーコードの５度の音を半音下げて減５度にし、更に減７度の音を上に乗せたもの**、ということになります。

　楽器があったらぜひ音を出してみてください。サスペンスドラマなどで衝撃の発見をしたときなどにガガーンと鳴る音ですね。某有名なサスペンスドラマシリーズのオープニングでジャジャジャーンと鳴る音でもあります。

「マイナーコードの5度を下げて減5度にし、減7度を上に乗せる」などと言うとややこしいですが、実はもっとわかりやすい規則性で音が積まれているのです。次の図を見てください。

Cdim

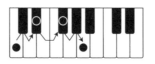

それぞれの音の間は半音×3＝短3度!!

　構成音はこのようになっています。ここで、それぞれの構成音同士の間の度数を調べてみます。すると面白いことがわかります。

　ドからミ♭までは短3度、ミ♭からソ♭までは短3度、ソ♭からラまでは短3度となります。なんと、どこをとっても短3度という金太郎飴のようなコードなのです。

　そしてこのコードの減7度であるラの音から更に短3度上へ行ってみるとそこにはC（ド）の音がありますね。

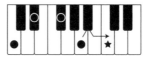

ラから短3度上に行くと再びドになる

　このように、ディミニッシュコードはどこをとっても短3度になっているという極めて特殊なコードなのです。

ディミニッシュよりも少しだけ安定感のある響き

マイナーセブンフラットファイブコードとは、**マイナーセブンスコードの5度を半音下げて減5度にしたもの**、ということになります。

　楽器があったら音を出してみてください。ディミニッシュよりも少し安定感があるという書きかたをしましたが、このコード単体だと十分不安な響きに感じられると思います。実際の曲でも意外とよく出てきますので、楽譜などで見かけたら響きを確かめてみてくださいね。

　これはディミニッシュコードと響きが似ていますが、ディミニッシュコードが持っていた特殊性は持っていません。そのため、任意のルートからマイナーセブンスコードを作り、その5度を半音下げるというやり方で構成音を探りましょう。

例えば F♯m7♭5 であれば、まず F♯m7 を考え、その 5 度を半音下げます。F♯m7 は Fm7 から半音上げるという考え方で見つけてもかまいません。

F♯m7♭5 (エフシャープマイナーセブンフラットファイブ)

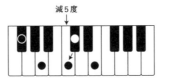

F♯m7 の 5 度を半音下げる

メジャーとは名ばかりの不吉な響き

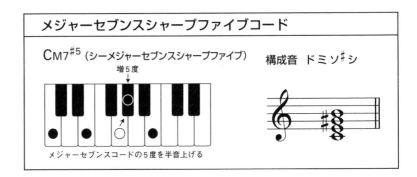

メジャーセブンスシャープファイブコード

CM7♯5 (シーメジャーセブンスシャープファイブ)　　構成音 ドミソ♯シ

増 5 度

メジャーセブンスコードの 5 度を半音上げる

メジャーセブンスシャープファイブコードとは、**メジャーセブンスコードの 5 度を半音上げて増 5 度にしたもの**、ということになります。

メジャーセブンスコードを元にしているということで、あのオシャレな響きを想像しますが、5 度を半音上げただけでこうまで変わるか、と思うぐらい不吉な響きになっています。

このコードは見方を変えると、**3 度の音をルートに持つメジャーコードを元のルートの上に乗せたコード**、という風にも捉えることができます。

文章だとわかりにくいので図でやってみます。

C M7^{#5}

Ｅメジャーコード

こんな具合に、Ｃの音の上にＥメジャーのコードを乗せたもの、と考えることができるわけです。

この見方で考えると他のルートでの構成音が見つけやすいですね。

例えばＦM7^{#5}であれば、ルートのＦの上に、３度であるＡのメジャーコードを乗せる、と考えることができます。

F M7^{#5}（エフメジャーセブンスシャープファイブ）

Ａメジャーコード

もちろん、この考え方よりも普通にメジャーセブンスコードの５度を上げるというほうが見つけやすいという人はそちらで考えても構いません。自分にとってわかりやすい覚え方で覚えれば大丈夫です。

　ここで、だいぶさかのぼりますが54ページのコードネームに関する決まりを思い出してください。

　次に紹介する C6 というコードネームには、M も m も入っていません。つまり全部省略された、ということになります。省略できるのは元になるコードの M と、上に乗る 7 度につく m でしたね（この辺り、よく覚えていないという人は 54 ページを読み返してみてくださいね）。C6 も C7 のように m6 の m を省略しているのでしょうか？　実は違うのです。

　シックスコードとは、**メジャーコードの上に長 6 度を乗せたもの**です。どのような構成音になるか考えてみましょう。

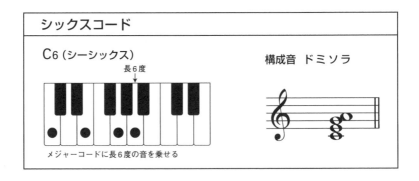

　このコードは同じ構成音のまま長 6 度の音を一番下に持ってくると別のコードになります。

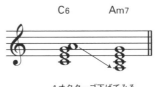

1 オクターブ下げてみる

　いかがですか？　図のように構成音はラ、ド、ミ、ソとなり、これは Am7 のコードです。

　つまり、C6 というコードは、Am7 のコードで一番下に C を持ってきたのと同じ響きになります。このため、C メジャーのコードを元にしているのに、少しマイナーっぽい響きにも聞こえる不思議なコードになっているのですね。

　このコードはある音をずっと鳴らしたままコードが進行していくようなアレンジの部分によく出てきます。楽譜の中で見つけたら、ぜひ前後のコードの流れがどうなっているか調べてみてください。何か発見があるかもしれません。

暗く不安な響き

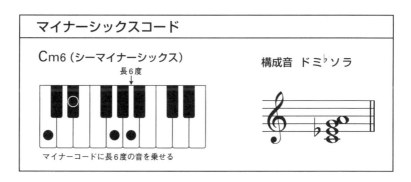

　このコードネームには小文字の m が 1 つあります。マイナーシックスコードとは、**マイナーコードに長 6 度の音を乗せたもの**です。つまりシックスが乗る場合、**元のコードがメジャーでもマイナーでも長 6 度の音を乗せ、長 6 度を表す M を省略して数字の 6 だけを書く**、ということになるわけです。

このコードもシックスコードと同じように、上に乗った長6度の音を一番下へ動かしてみましょう。

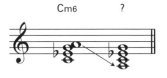

1オクターブ下げてみる

　このようになりました。このコードは何というコードかわかりますか？

　シックスコードの時にやってみたことを思い出してみてください。C6の長6度を一番下へ動かしたらAm7になりましたね。

Am7とここが違う

　このようになりますので、Cm6の長6度を一番下へ動かしてできたコードはAm7♭5ということになります。

　つまり、Cm6とはAm7♭5のコードで一番下にCを持ってきたのと同じ響きになるわけです。マイナーシックスという名前からは、マイナーセブンスに近いのかな、という印象を受けますが、響きはマイナーセブンフラットファイブに近いのです。面白いですね。

　少し余談ですが、このマイナーシックスコードとディミニッシュコードを比べてみましょう。

Cm6の5度を半音下げるとCdimになる
つまり、Cdim＝Cm6♭5と見ることもできる

ディミニッシュコードはマイナーシックスコードの5度を半音下げたものだということがわかります。つまり**ディミニッシュコードとはマイナーシックスフラットファイブのこと**なのです。

シャツがまくれ上がってお腹が出ちゃってるような響き

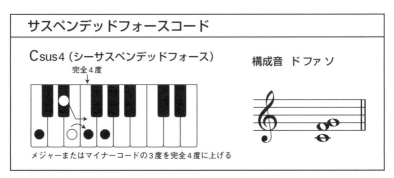

サスペンデッドフォース（suspended 4th）とは「引っ張り上げられた4度」という意味で、**メジャーコード、またはマイナーコードの3度の音が引っ張り上げられて4度になったもの**、という意味です。通常は略して**"サスフォー"**と呼ばれます。

ぜひ、実際に音を出して響きを確認してみてください。なんだか落ち着かない感じがしませんか？　まずサスフォーの音をジャーンと鳴らし、次に同じルートのメジャーコード、またはマイナーコードを鳴らしてみてください。するとまくれ上がっていたシャツを元に戻したような、落ち着かない感じが落ち着くような気持ちになりませんか？

サスフォーは実際の曲の中で出てくるときも、メジャーコードやマイナーコードの前に登場して、不安定な感じから安定した感じになる、という印象を与えることが多いです。

このサスフォーというコードは、セブンスコードに対しても使われることがあります。

C₇の3度を完全4度に上げたものは C₇sus4 となる

このように、セブンスコードの3度を4度にしたものを**セブンスサスフォー**と呼びます。

このサスフォー、セブンスサスフォーというコードは割とよく登場しますので、曲集や歌本などをお持ちの方はぜひ探してみてください。稀に、メジャーコードにもマイナーコードにも進行せずにサスフォー単体で使われることもありますが、多くの場合、サスフォーは同じルートのメジャーコードかマイナーコード、セブンスサスフォーはセブンスコードに進行していると思います。

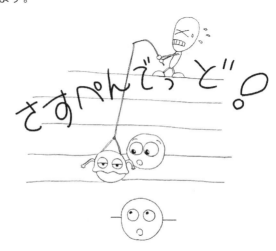

第5章

<u>知ってると便利！コードのいろいろ</u>

ココが知りたい！

- ●ギターの人がよく言う「パワーコード」って何？ → P.72 〜
- ●8度よりも上の音を足すコード → P.73 〜
- ●アルファベットに「on」がつくコード → P.78
- ●「△」「-」「+」がつくコードの正体 → P.79 〜
- ●コード譜の活用術 → P.81 〜
- ●実践チャレンジ→ P.84 〜

　ここでは、今までのまとめとして、コードネームを見て弾いてみましょう。尚、楽譜はアレンジした形で載せています。

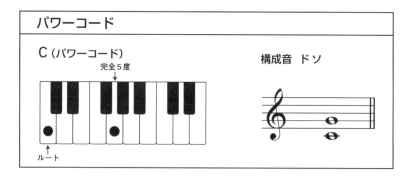

パワーコードというのは俗称で、正式にはC omit 3 とか、Cmomit3 などという表記になるもので、メジャーコードまたはマイナーコードから3度の音を省略したもののことを指します。つまり、パワーコードとは、**ルートと完全5度だけでできているもの**、ということになります。

メジャーコードとマイナーコードの違いは、3度の音が長3度か短3度か、というものでした。つまり、そこから3度の音を省略してしまうと、両者は同じものになるわけです。

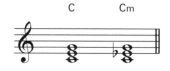

違うのは3度だけで、ルートと5度は共通

ロック系の楽曲などで、ギターでヘヴィな感じを出すアレンジの場合、このパワーコードを多用したりすることが多いです。完全5度のどっしりとした安定感がパワーを感じさせるため、力強さを出したい音楽ではかなり有効なわけです。

追加された音によって広がる響き

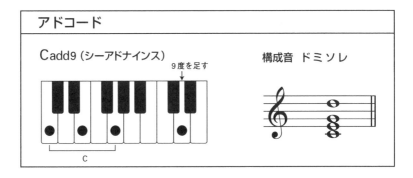

アドコード

Cadd9（シーアドナインス）　　　　9度を足す

構成音　ドミソレ

　他のコードの説明に合わせて「アドコード」という名前でまとめてみましたが、通常は「アドコード」というくくりでまとめることはあまりありません。アドコードというのは、任意のコードネームにadd○という表記をつけ、○の部分に入る度数の音を追加しますよ、という意味です。

　上はCadd9で、シーアドナインスと読みます。addというのは追加するという意味ですから、Cメジャーコードに9度（ナインス）の音を追加したコード、ということになります。これが、add11（アドイレブンス）だったら11度の音を追加する、という意味になります。多くの場合追加するのは9度か11度です。

　ここで9度、11度などという8度（オクターブ）よりも大きな度数について少し掘り下げてみましょう。

ここまでの説明でだいぶ度数に慣れてきていると思いますが、ここで復習も兼ねて思い出してみましょう。

	Cからの度数
C	完全1度
C♯／D♭	増1度／短2度
D	長2度
D♯／E♭	増2度／短3度
E	長3度
F	完全4度
F♯／G♭	増4度／短5度
G	完全5度
G♯／A♭	増5度／短6度
A	長6度
A♯／B♭	増6度／短7度
B	長7度

このように、今までは1オクターブの範囲内ですべて収まっていました。ところがアドコードになって、9度や11度などという、1オクターブ内に収まらない度数が登場しました。これについて少し考えてみましょう。

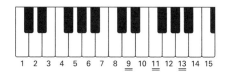

範囲を広げればこのようになります。しかし、通常出てくる度数はこの中の**9度**、**11度**、**13度**の**3つ**です。他の度数はまず登場しません。

この大きな度数に関しては**それぞれの数字から7を引いてオクターブ上げる**、と覚えておくと便利です。

実際にやってみましょう。

Cadd9

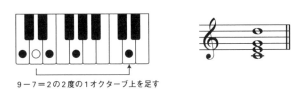

9－7＝2の2度の1オクターブ上を足す

　このように、慣れ親しんだ1オクターブ内の度数に変換することができます。例えばadd9というコードネームが出てきたら、9から7を引いた2度の音を1オクターブ上げて元のコードに足せばよいわけです。

　鍵盤楽器などではこのCadd9を下のようにド、レ、ミ、ソという押さえ方をすることもあります。楽譜によってはこの状態をCadd2と表記しているものもありますが、どちらも同じものと考えて差し支えありません。

Cadd2（＝Cadd9）

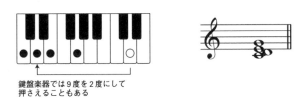

鍵盤楽器では9度を2度にして
押さえることもある

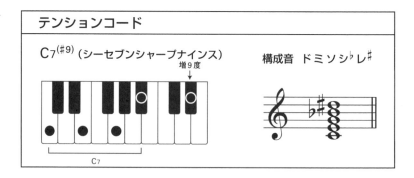

テンションコード

$C_7{}^{(\sharp 9)}$ （シーセブンシャープナインス）

構成音　ドミソシ♭レ♯

テンションコードとは、セブンスやメジャーセブンス、マイナーセブンスなどの**4つの音でできたコード**に、**9度、11度、13度などの音を追加したコード**のことです。このような、上に乗せられた9度、11度、13度などのことを**テンション**と呼びます。

上はシーセブンシャープナインスというコードで、C7のコードの上に♯9（シャープナインス）つまり増9度の音を追加する、という意味になります。

他にも例を見てみましょう。

$Cm_7{}^{(11)}$ （シーマイナーセブンイレブンス）

これはシーマイナーセブンイレブンスと読み、その名の通り、Cm7のコードに11度の音を追加したものになります。

また、テンションは1つのコードに2つ以上乗ることもあります。

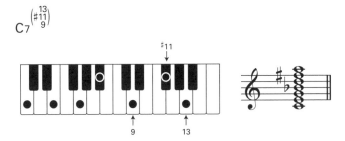

どうです？　テンションが3つも乗っています。このようなこともあり得るわけです。このコードネームを読むなら、「シーセブン、ナインス、シャープイレブンス、サーティーンス」という具合になります。長いですね。

ちなみに9、♯11、13という3つのテンションが乗ると、それは9度をルートに持つメジャーコードを上に乗せたのと同じことになります。

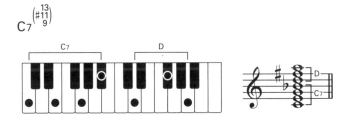

とても興味深いですね。このようにテンションを乗せることでコードの響きがどんどん拡張されていくわけです。緊張感が高まったり、少し複雑な印象を与える響きになったりします。

楽譜などでテンションコードに出会ったら、テンションを乗せないコードでも演奏してみて、響きの違いなどを試してみると楽しいですよ。

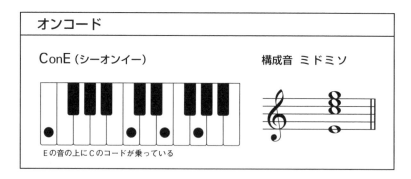

オンコードとは、**元のコードをあるベース音の上に乗せる、**といういうもので、ベース音（一番低い音）を指定するときに使われます。

　元のコードネームに on ○ をつけてベース音を指定します。これは表記法が曖昧で、楽譜によってさまざまな表記がされていますが、指定されたベース音の上に元のコードを乗せるということを覚えておけば構成音も知ることができます。他にも例を挙げてみましょう。

構成音がベース音に指定された場合、
上に乗せるコードからその音を省略することもあります

　このようになります。

　これも実際の曲の中でよく見かけるものなので、意味を覚えておいてくださいね。

コードネームのいろいろな表記

　ここまでで、一通り基本的なコードネームを勉強することができました。これで市販の楽譜などを見て、出てくるコードネームがどういう構成音のものなのか知ることができると思います。

　しかし！

　皆さん、この本の「はじめに」を覚えていらっしゃるでしょうか。その中で「B△7」などという表記もある、というようなことを書きましたが、このコードネームはまだ出てきていませんね。実はこのB△7というのはBM7のことなのです。ですので読み方はビーメジャーセブンス、構成音はシ、レ♯、ファ♯、ラ♯となります（わからない方はメジャーセブンスのページ（29ページ）を読み返してみてくださいね）。

　他にもいろいろな表記があるのでまとめてみましょう。

コードネーム	その他の表記	
C_{M7}	$C_{△7}$	
C_{m7}	C_{-7}	
$C_{m7}{}^{\flat 5}$	$C_{m7}{}^{-5}$	$C^{\varnothing}$
$C_{M7}{}^{\sharp 5}$	$C_{M7}{}^{+5}$	
C_{dim}	C°	
C_{aug}	C^{+}	
C_{m6}	C_{-6}	
C_{onE}	C/E	

一般に、mは-、Mは△、♭5は-5、♯5は+5と表記すること
があります。

　特殊な例として、マイナーセブンフラットファイブはφという
表記を使い、ハーフディミニッシュと呼ばれることもあります。
ディミニッシュの記号である〇を半分に切ったような記号にな
ります。

　なぜ1つに統一されていないのか、と思われるかもしれません
が、これには印刷と手書きで事情が異なるから、というような
背景があります。

　例えばMとmですが、手書きでババッと書いたとき、どっち
がどっちかわかりにくい可能性があります。もちろん丁寧に書
けばちゃんとわかるように書けるものなのですが、どうもミュ
ージシャンというのはザツに字を書く傾向があったりして、M
とmが混乱を招いたりすることもあるわけです。そこで△と-
にしてしまえば多少ザツに書いても差がわかる、ということか
ら、このような記号表記が浸透してきたのでしょう。

　慣れてしまえば記号を使ったコードネームも決してわかりに
くいものではないので、ぜひ覚えてくださいね。

便利なコード活用術

　コードの基本を一通り勉強してきて、ここまでの知識で市販の楽譜に書いてあるコードネームを見て、それがどういう構成音のコードなのかわかるようになりました。最後に、それをもう一歩応用する例をご紹介しましょう。

　皆さんカラオケはされますか？　カラオケに行くと、音が高すぎたり低すぎたりして歌えない歌があったとき、キーコントロールという機能を使って、自分の歌える高さに調整することができます。それと同じようなことを楽譜の上でやってみましょう。

星に願いを

作詞：Ned Washington ／作曲：Leigh Harline

楽譜はＣのコードから始まるように書いてありますが、これだと音が高すぎて歌えなかった、という場合、音を下げて歌いたいですよね。そこで、曲全体をまるごと下げてしまいましょう。

　これは、カラオケでいうところの、キーを２つ下げたのと同じ状態になります。カラオケのキーコントロールは１つ動かすごとに半音ずつ上下するようになっているわけです。

　先ほどの「星に願いを」の楽譜をまるごと全音下げるとどうなるか考えてみてください。コードネームもアルファベットがすべて全音ずつ下がります。つまりＣなら全音下のB♭になるわけです。その要領で楽譜全体を下げます。

星に願いを（B♭版）

作詞：Ned Washington ／作曲：Leigh Harline

　このようになります。五線譜はわからなくても構いません。コードネームだけ、全音下のものがわかれば弾き語りすることができます。

　このように、楽譜が苦手でもコードネームさえわかれば歌の高さを変える、というような作業も簡単ですね。この本で紹介した他の曲でも、全体を上げたり下げたりしてみてください。全音と言わず、たとえば完全4度上げても良いですし、短3度下げる、などというのも良いでしょう。ぜひチャレンジしてみてくださいね。

ライラック

Mrs. GREEN APPLE

作詞／作曲：大森元貴

いみのない こと はない としんじて すすも ーうかー ー こ

たえがない こと ばかりだからこそ あいそ ーうとも ー

あ ーのころ ー の あおを おぼ ーえてい ーよ うーぜ に

が ーみがか ーさ なって もひか ーってる ー

わ ーりにあ わない きーずも み と ーめてあ ーげ ようーぜ

ぼ ーくはぼ ーくじ しんを あ ーいしてる ー

あ ーいせてる ー

88

『コードな遊びのススメ』

　いわゆるアレンジ（編曲）という作業の重要な部分を占める工程に、「コードをどうするか」というものがあります。もっとも重要な「リズムをどうするか」と合わせ、リズムとコードをどうするか決めるとアレンジはほとんどできたと言ってしまっても良いぐらいです。ここでは、このコードアレンジの部分を遊びとしてやってみよう、というのをお勧めしようと思います。

　元になる曲は何でも構いませんが、最初はなるべくシンプルな、童謡のような曲が良いでしょう。初めて挑戦するときは、元の楽譜があるとやりやすいです。楽譜はメロディとコードが分かれば問題ありません。まずはそのまま楽譜通りに、メロディーとコードだけを演奏してみましょう。メロディは歌っても構いません。

　次に、この同じメロディに対して別のコードを当ててみます。最初から別のコードにするのが難しければ、最初はベース音を変えるだけでも良いです。例えば C というコードがあったら、それを ConE にしてみましょう。これだけで、元の曲とはだいぶ違う印象になると思います。C メジャー（ハ長調）の曲で C → F → G というようなコード進行を、C → Dm7 → G などに変更してみたり、4 拍ずつになっているところを 2 拍ずつ C → Am7 や C → Em7 などにしてみたり…。

　このように、同じメロディに対して別のコードを割り当てることを「リハーモナイズ」といいます。ハーモナイズというのは「ハーモニーを付ける、つまり和音にする」というような意味ですが、それの「リ（Re）」つまりやり直す作業です。和音付けをやり直す、というような意味の言葉です。

　よくあるカバー曲のようなもので、このリハーモナイズを行い、オリジナル版とは違うコード進行をつけてアレンジしているようなものを見かけることがあります。また、1 曲の中でも同じメロディに違うコード進行を付ける場合もあります。例えば 1 回目のサビと 2 回目のサビでコード進行が違う、というようなケースです。

　筆者は学生の頃、よくこういうことをして遊んでいました。時にはメロディにまで少し手を加えて、例えば「ドラえもんのうた」を短調にしたりしたこともあります。ちゃんとしたアレンジとしてではなく、遊びのレベルでふざけて歌っていただけですが、こういう遊びを通じてコードに対する理解が深まったり、アレンジをするときの引き出しが増えたりするのでオススメです。

■ピアノ・コード一覧表

	メジャー (○)	マイナー (○m)	セブンス (○7)	マイナーセブンス (○m7)	メジャーセブンス (○M7)	マイナーメジャーセブンス (○mM7)	オーギュメント (○aug)
C	C	Cm	C7	Cm7	CM7	CmM7	Caug
C#/D♭	C#/D♭	C#m/D♭m	C#7/D♭7	C#m7/D♭m7	C#M7/D♭M7	C#mM7/D♭mM7	C#aug/D♭aug
D	D	Dm	D7	Dm7	DM7	DmM7	Daug
D#/E♭	D#/E♭	D#m/E♭m	D#7/E♭7	D#m7/E♭m7	D#M7/E♭M7	D#mM7/E♭mM7	D#aug/E♭aug
E	E	Em	E7	Em7	EM7	EmM7	Eaug
F	F	Fm	F7	Fm7	FM7	FmM7	Faug
F#/G♭	F#/G♭	F#m/G♭m	F#7/G♭7	F#m7/G♭m7	F#M7/G♭M7	F#mM7/G♭mM7	F#aug/G♭aug
G	G	Gm	G7	Gm7	GM7	GmM7	Gaug
G#/A♭	G#/A♭	G#m/A♭m	G#7/A♭7	G#m7/A♭m7	G#M7/A♭M7	G#/A♭	G#aug/A♭aug
A	A	Am	A7	Am7	AM7	AmM7	Aaug
A#/B♭	A#/B♭	A#m/B♭m	A#7/B♭7	A#m7/B♭m7	A#M7/B♭M7	A#mM7/B♭mM7	A#aug/B♭aug
B	B	Bm	B7	Bm7	BM7	BmM7	Baug

	ディミニッシュ (○dim)	マイナーセブン フラットファイブ (○m7$^{(♭5)}$)	メジャーセブンス シャープファイブ (○M7$^{(#5)}$)	シックス (○6)	マイナーシックス (○m6)	サスフォー (○sus4)	アドナインス (○add9)
C	Cdim	Cm7$^{(♭5)}$	CM7$^{(#5)}$	C6	Cm6	Csus4	Cadd9
C#/D♭	C#dim/D♭dim	C#m7$^{(♭5)}$/D♭m7$^{(♭5)}$	C#M7$^{(#5)}$/D♭M7$^{(#5)}$	C#6/D♭6	C#m6/D♭m6	C#sus4/D♭sus4	C#add9/D♭add9
D	Ddim	Dm7$^{(♭5)}$	DM7$^{(#5)}$	D6	Dm6	Dsus4	Dadd9
D#/E♭	D#dim/E♭dim	D#m7$^{(♭5)}$/E♭m7$^{(♭5)}$	D#M7$^{(#5)}$/E♭M7$^{(#5)}$	D#6/E♭6	D#m6/E♭m6	D#sus4/E♭sus4	D#add9/E♭add9
E	Edim	Em7$^{(♭5)}$	EM7$^{(#5)}$	E6	Em6	Esus4	Eadd9
F	Fdim	Fm7$^{(♭5)}$	FM7$^{(#5)}$	F6	Fm6	Fsus4	Fadd9
F#/G♭	F#dim/G♭dim	F#m7$^{(♭5)}$/G♭m7$^{(♭5)}$	F#M7$^{(#5)}$/G♭M7$^{(#5)}$	F#6/G♭6	F#m6/G♭m6	F#sus4/G♭sus4	F#add9/G♭add9
G	Gdim	Gm7$^{(♭5)}$	GM7$^{(#5)}$	G6	Gm6	Gsus4	Gadd9
G#/A♭	G#dim/A♭dim	G#m7$^{(♭5)}$/A♭m7$^{(♭5)}$	G#M7$^{(#5)}$/A♭M7$^{(#5)}$	G#6/A♭6	G#m6/A♭m6	G#sus4/A♭sus4	G#add9/A♭add9
A	Adim	Am7$^{(♭5)}$	AM7$^{(#5)}$	A6	Am6	Asus4	Aadd9
A#/B♭	A#dim/B♭dim	A#m7$^{(♭5)}$/B♭m7$^{(♭5)}$	A#M7$^{(#5)}$/B♭M7$^{(#5)}$	A#6/B♭6	A#m6/B♭m6	A#sus4/B♭sus4	A#add9/B♭add9
B	Bdim	Bm7$^{(♭5)}$	BM7$^{(#5)}$	B6	Bm6	Bsus4	Badd9

■ギター・コード一覧表

	メジャー (○)	マイナー (○m)	セブンス (○7)	マイナーセブンス (○m7)	メジャーセブンス (○M7)	マイナー メジャーセブンス (○mM7)	オーギュメント (○aug)
C	C	Cm	C7	Cm7	CM7	CmM7	Caug
C#/D♭	C#/D♭	C#m/D♭m	C#7/D♭7	C#m7/D♭m7	C#M7/D♭M7	C#mM7/D♭mM7	C#aug/D♭aug
D	D	Dm	D7	Dm7	DM7	DmM7	Daug
D#/E♭	D#/E♭	D#m/E♭m	D#7/E♭7	D#m7/E♭m7	D#M7/E♭M7	D#mM7/E♭mM7	D#aug/E♭aug
E	E	Em	E7	Em7	EM7	EmM7	Eaug
F	F	Fm	F7	Fm7	FM7	FmM7	Faug
F#/G♭	F#/G♭	F#m/G♭m	F#7/G♭7	F#m7/G♭m7	F#M7/G♭M7	F#mM7/G♭mM7	F#aug/G♭aug
G	G	Gm	G7	Gm7	GM7	GmM7	Gaug
G#/A♭	G#/A♭	G#m/A♭m	G#7/A♭7	G#m7/A♭m7	G#M7/A♭M7	G#/A♭	G#aug/A♭aug
A	A	Am	A7	Am7	AM7	AmM7	Aaug
A#/B♭	A#/B♭	A#m/B♭m	A#7/B♭7	A#m7/B♭m7	A#M7/B♭M7	A#mM7/B♭mM7	A#aug/B♭aug
B	B	Bm	B7	Bm7	BM7	BmM7	Baug

	ディミニッシュ (○dim)	マイナーセブンフラットファイブ (○m7(♭5))	メジャーセブンスシャープファイブ (○M7(#5))	シックス (○6)	マイナーシックス (○m6)	サスフォー (○sus4)	アドナインス (○add9)
C	Cdim	Cm7(♭5)	CM7(#5)	C6	Cm6	Csus4	Cadd9
C#/D♭	C#dim/D♭dim	C#m7(♭5)/D♭m7(♭5)	C#M7(#5)/D♭M7(#5)	C#6/D♭6	C#m6/D♭m6	C#sus4/D♭sus4	C#add9/D♭add9
D	Ddim	Dm7(♭5)	DM7(#5)	D6	Dm6	Dsus4	Dadd9
D#/E♭	D#dim/E♭dim	D#m7(♭5)/E♭m7(♭5)	D#M7(#5)/E♭M7(#5)	D#6/E♭6	D#m6/E♭m6	D#sus4/E♭sus4	D#add9/E♭add9
E	Edim	Em7(♭5)	EM7(#5)	E6	Em6	Esus4	Eadd9
F	Fdim	Fm7(♭5)	FM7(#5)	F6	Fm6	Fsus4	Fadd9
F#/G♭	F#dim/G♭dim	F#m7(♭5)/G♭m7(♭5)	F#M7(#5)/G♭M7(#5)	F#6/G♭6	F#m6/G♭m6	F#sus4/G♭sus4	F#add9/G♭add9
G	Gdim	Gm7(♭5)	GM7(#5)	G6	Gm6	Gsus4	Gadd9
G#/A♭	G#dim/A♭dim	G#m7(♭5)/A♭m7(♭5)	G#M7(#5)/A♭M7(#5)	G#6/A♭6	G#m6/A♭m6	G#sus4/A♭sus4	G#add9/A♭add9
A	Adim	Am7(♭5)	AM7(#5)	A6	Am6	Asus4	Aadd9
A#/B♭	A#dim/B♭dim	A#m7(♭5)/B♭m7(♭5)	A#M7(#5)/B♭M7(#5)	A#6/B♭6	A#m6/B♭m6	A#sus4/B♭sus4	A#add9/B♭add9
B	Bdim	Bm7(♭5)	BM7(#5)	B6	Bm6	Bsus4	Badd9

おわりに

いかがでしたか？コードのカラクリが少し見えてきたでしょうか？

最初のうちは、コードネームを見て構成音がわからない場合、本書の該当するページを読み返して1つずつ探ってみてください。非常に時間がかかるのでイヤになってしまうかもしれませんが、これを繰り返しているうちに、パッとコードネームを見ただけで、どういう構成音のコードかわかるようになります。

本書で解説したのは、コードネームを見てその構成音がわかる、というところまでで、コードの理論としてはかなり初歩の部分です。ですが初歩の部分無くしてその先はありません。オリジナル曲を作曲して作ったメロディにコードをつけたい、とか、コード進行だけが書かれた譜面を見てアドリブ（即興）の演奏をしてみたい、など、より深い音楽の世界へ入っていく足がかりとして、本書で勉強したコードのカラクリはきっと役に立つと思います。ぜひ本書をそばに置いて、「あれ？このコードネームはなんだっけ？」というものに出会ったら再びページを開いてみてください。そうやって皆さんの傍らに置いてもらえる本になれたら、著者としてこれほど嬉しいことはありません。

さぁ、この本で学んだことを生かし、より深い音楽の世界へ踏み込んで行きましょう！きっと楽しいことがたくさん待ち受けていますよ。

最後まで読んでくださった皆さんに心から感謝いたします。本当にありがとうございました。またいつか、他の本の中でお目にかかるのを楽しみにしております。

田熊　健

自由現代社の音楽書のご案内

読んで覚える楽譜のカラクリ
田熊健・編著 /A5/96 頁 / 定価（本体 1300 円＋税）

楽譜が読めない、または苦手な人に向け、市販の楽譜を読むために必要な知識を、理論だててわかりやすく解説。楽譜のカラクリを紐解きながら、音符や記号の意味が理解できる。著者の体験談やジョーク、例え話を織りまぜ、最後まで飽きずに、音楽をもっと楽しめる一冊。

そうだったのか！コード理論
田熊健・編著 /A5/128 頁 / 定価（本体 1300 円＋税）

「コードってイマイチよくわからない…理論書は難しいし…」と、お悩みの方に向けた画期的なコード理論解説書。コードを『パズル』として考え、わかりやすく、楽しく紐解いていく。難しい用語はできるだけ噛み砕き、鍵盤とギターの双方のダイヤグラムと五線上の説明もあるので楽器を問わず対応できる。

ワンランク上に挑む！
実践！本気で学べる究極のジャズ理論
彦坂恭人・編著 /B5/144 頁 / 定価（本体 1600 円＋税）

基本的な音楽理論はわかるけど、もっと高度な理論やジャズを深く学びたい！といった方を対象にした究極のジャズ理論書。様々なディミニッシュ・コードの使い方、アッパー・ストラクチャー・トライアド、転調のテクニックや音楽理論をジャズ・スタンダードを使用して解説！

楽器の重ね方がイチからわかる！
実践！やさしく学べるオーケストラ・アレンジ
彦坂恭人・編著 /B5/128 頁 / 定価（本体 1800 円＋税）

「DTM でオーケストラの楽器を使いたい！」「好きな曲をクラシックの様々な楽器を使ってアレンジしたい！」等、誰もが悩むオーケストラ・アレンジを楽器の特徴等を含めてやさしく解説していく。楽器の音域や奏法、それぞれのおいしい箇所等を紹介し、音の重ね方、配分までを網羅。

逆引きハンドブック
読んでナットク！やさしい楽典入門
オオシマダイスケ・編著 /A5/112 頁 / 定価（本体 1300 円＋税）

読譜が苦手、楽譜は読めるが少し自信がない、といった人に向けた楽典入門書。音名の呼び名、コードの基本である 3 度音程の関係、調号、奏法記号など、ポピュラー・ミュージックの楽譜を読むために必要な知識を、演習問題を併記しながら一つ一つ丁寧に解説。わからない言葉を逆引きしながら辞書的感覚で使える。

逆引きハンドブック
読んでナットク！やさしい楽典 完全マスター編
オオシマダイスケ・編著 /A5/112 頁 / 定価（本体 1300 円＋税）

コードや楽譜は、なんとなく読めるけど意味がよくわからないし、膨大な数のスケールやコードを丸暗記するのは到底不可能。そんな方のために、コードやスケール等をやさしく解説し、完全マスターできるのが本書。完全マスターするための例題や練習問題も数多く掲載。ハンディサイズで、いつでも学べる。

PROFILE

田熊 健（たぐま けん）

首都圏での音楽活動ののち、北国に憧れて北海道へ移住。移住後、アニメのCGクリエイターに転身し、その後なぜかプログラマに。道内の地域情報誌に映画コラムの連載を持つほか、気の合う仲間たちとクレイジーな映画同人誌を作ったりもするなど、多足のわらじを履くムカデ系クリエイターとして活動中。

★著書

「読んで覚える楽譜のカラクリ」「そうだったのか！コード理論」「鍵盤で覚える理論のキホン」「厳選！ベースのコツ100」他。（いずれも自由現代社刊）

P.81,82
WHEN YOU WISH UPON A STAR
   Words by Ned Washington
   Music by Leigh Harline

©1940 by BOURNE CO. (copyright renewed 1961)
All rights reserved. Used by permission.
Rights for Japan administered by NICHION, INC.

読んで覚えるコードのカラクリ _____ 定価（本体1400円＋税）

編著者 ———— 田熊 健（たぐま けん）
表紙デザイン— オングラフィクス
発行日 ———— 2025年2月28日
編集人 ———— 真崎利夫
発行人 ———— 竹村欣治
発売元 ———— 株式会社自由現代社
　　　　　　 〒171-0033 東京都豊島区高田3-10-10-5F
　　　　　　 TEL03-5291-6221/FAX03-5291-2886
　　　　　　 振替口座 00110-5-45925

ホームページ ———— http://www.j-gendai.co.jp

JASRACの承諾に依り許諾証紙張付免除 　 JASRAC 出 2500154-501
（許諾番号の対象は、当該出版物中、当協会が許諾することのできる出版物に限られます。）

ISBN978-4-7982-2697-2
